Sudoku
Logic Puzzles

Dalmatian Press

© 2012 Dalmatian Press, LLC. All rights reserved. Printed in Ft. Wayne, IN, U.S.A.
113 Seaboard Lane, Franklin, TN 37067. 1-866-418-2572
No part of this book may be reproduced or copied in any form without written permission from the copyright owner.
CE14095/0812

ISBN 1-4530-6176-2

While we have made every effort to ensure the accuracy of the information in this book,
we cannot be held liable for any errors, omissions or inconsistencies.

12 13 14 15 CLI 4500731 5 4 3 2

If you can count to nine, you can play **Sudoku!** Seriously.

You don't have to be good at math, you don't have to have a super memory, and you don't even need a big vocabulary. You just need to figure out where the numbers go.

But we'll get to that in a minute. Let's start at the very beginning. Sudoku is a Japanese word—an abbreviation of a phrase meaning "the digits must remain single." In other words, you can't have two of the same number in the same line or box. Some people call it SOO-doe-koo, and others say soo-DOE-koo. We just call it plain ol' fun.

Interestingly enough, even though the game has a Japanese name, the Japanese didn't invent it. Sudoku appeared as "Number Place" in an American game magazine in 1979, but the Japanese refined it and renamed it after that.

Sudoku is played on a grid, and it usually includes nine small squares inside nine larger boxes. Each line going across is called a row, and each line going up and down, a column. **(See Figure A)**

When you first look at a Sudoku grid, you'll notice something interesting. Some of the numbers have already been filled in. How many numbers there are and where they're placed has a lot to do with how hard the puzzle will be to solve. But don't worry. We'll start off easy.

Now, as we mentioned earlier, you can't have two of the same number in a line or box. Your goal, then, is to fill in the squares one at a time so that each column includes the numbers one through nine, each row includes the numbers one through nine, and each box includes the numbers one through nine. Figure B is a completed Sudoku grid. Notice how the numbers don't repeat? **(See Figure B)**

column · box

Figure A

row

8								4
	2		1	9		7		
		9	5				2	
3	9		8			4	6	
4		2		6		5		8
	6	8			2		1	7
	7		9		6	2		
	6		8	1		7		
9							4	

Figure B

7	8	5	6	2	3	1	9	4
6	2	3	1	9	4	7	8	5
1	4	9	5	7	8	6	2	3
3	9	7	8	1	5	4	6	2
4	1	2	7	6	9	5	3	8
5	6	8	3	4	2	9	1	7
8	7	4	9	3	6	2	5	1
2	5	6	4	8	1	3	7	9
9	3	1	2	5	7	8	4	6

Now you've got an idea of what the puzzle is supposed to look like when you're through. Ready to learn how to get there? Consider trying the first one with a family member or friend! It's not that we don't think you're smart enough to figure it out on your own. Different people see things in different ways, and you'll be able to help each other out. One person, for example, might focus on the numbers in the columns or rows first; another might focus on the numbers in the box; and someone else might use different logic altogether to decide which number goes where. All three ways are helpful, and if someone sees something you don't, ask them to explain. The more ways you can learn to solve a puzzle, the better you'll become at solving problems in real life, too.

Now, let's give it a shot. Let's say your Sudoku grid contains the numbers 3, 5, 7, 2, 1, 8, 6 and 9 across the top row. It might look something like this: **(See Figure C)**

Know which number is missing?

That's right; it's the 4. So you can already fill one space in. Celebrate your victory, then get ready to move on.

Let's say the grid has a box that looks like this: **(See Figure D)**

Which number is missing now?

Right again! It's the 5 that's missing.

Figure C

3	5		7	2	1	8	6	9

Figure D

			9	6	7			
				2	8			
			4	1	3			

But what happens when more than one number is missing in a row, column, or box? You'll have to reason it out. Take this grid, for example. Can you figure out where the next 6 will go? **(See Figure E)**

Sure you can! Since each row can only have one 6, and each box can only have one 6, you can reason that the next 6 will go on the bottom row of the far right box, next to the 4. Getting the hang of it?

When you start a Sudoku puzzle, then, look for places where you have two of a kind, or two out of three boxes next to each other containing the same number. At the same time, look for places where a certain number is missing in your one-to-nine lineup in a box, row, or column. Let's take a look at how you can use those techniques together.

Maybe you've moved ahead on the last grid so it looks like this: **(See Figure F)**

First of all, take a look at the second box down on the right. Count it out, and you'll see that the blank space should be a 3, right? Every other number is already represented in the box. That new 3, however, affects more than you think it does. You can use that 3 to figure out where the 3 will go in the box above it, as well. Look closely at the second and third rows. See how they already have 3s, but the first row doesn't? Remember that you can't have the same number twice in the same row, so the 3 of the top right box has to go in the top row. With us so far? It looks like that 3 could go in either of the two empty squares in the top right box. But remember that 3 we just placed? Again, you can't have two of the same number in any column. So it can't go in the same line as the new one. It has to go in the far right square.

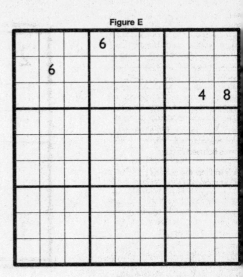

Figure E

Figure F

While you're trying to figure out a Sudoku puzzle, you may come to a square that looks as if it could hold one of two numbers. If that's the case, it's OK to lightly pencil-in both numbers in a corner of the square, until you get another clue that helps you know for sure. Sometimes you have to rule out every number a square is *not* before you know what number it actually is. Remember that no matter how hard the puzzle seems at first, you've been given everything you need to solve it. There's no need to guess.

You'll find that the puzzles in this book will get more and more challenging as you go along. But you'll probably also notice that you're better and better at solving them.

Sudoku puzzles usually contain nine small squares inside nine larger boxes. The puzzles pictured here, however, begin with grids built on four. Those are called No Brainers. **(See Figure G)**

Easy as Pie and Middle of the Road puzzles, built on grids of six, come next. **(See Figure H)**

The remainder of the puzzles in this book are traditional, nine-grid Sudoku games.

Remember that each puzzle will take some thought, some patience, and some logic. All that—and, simply, the ability to count from one to nine.

Have fun!

Figure G

2			4
		3	
	4		
3			1

Figure H

6		1		4	
			2		6
	1	3			
			3	5	
4		6			
	5		6		4

NO BRAINERS

Puzzle 1

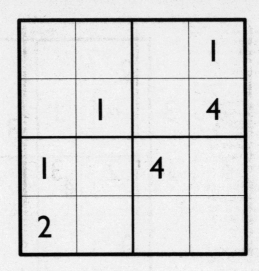

Puzzle 2

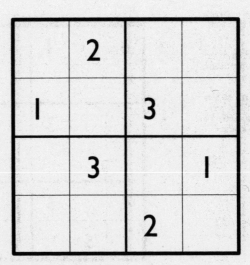

Answers in bac

2	3	4	1
4	1	2	3

	3		1
	1		
		2	
3		1	

Puzzle 5

1			
		4	1
4	3		
			4

Puzzle 6

3	4		
2	1		
		1	2
		3	4

Answers in ba

Puzzle 7

3			
			4
4			
			2

Puzzle 8

4			2
2			3
I			4
3			I

Puzzle 9

	3		
		2	
	1		
		3	

Puzzle 10

	2	3	
	4	2	
	3	1	
	1	4	

Answers in ba

Puzzle 11

	4	1	2
2	3	4	

Puzzle 12

			2
	4	3	
	2	1	
3			

Puzzle 13

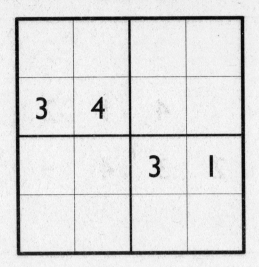

Puzzle 14

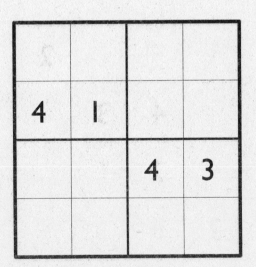

Answers in ba

Puzzle 15

	3		2
2			
			4
3		2	

Puzzle 16

1	4	2	3
2	3	1	4

NO BRAINERS

Puzzle 17

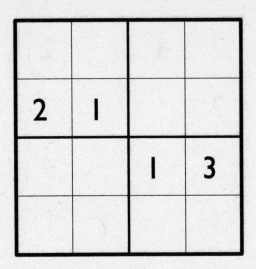

Puzzle 18

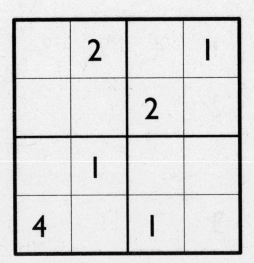

Answers in bac

Puzzle 19

2	4		
		4	1

Puzzle 20

			1
2			
			2
3			

swers in back

EASY AS PIE

Puzzle 21

6		1		4	
			2		6
	1	3			
			3	5	
4		6			
	5		6		4

Puzzle 22

	1		6		
3	6		2		
				2	6
1	2				
		1		5	2
		4		6	

Answers in ba

EASY AS PIE

			1		
5	3				
			3	5	6
6	5	3			
				6	2
		5			

4			1		
3			2	4	
	6		5		
		5		6	
	3	4			2
		1			3

EASY AS PIE

Puzzle 25

2			3		
				2	5
	3	4			
			1	3	
5	4				
		1			6

Puzzle 26

		5	1		2
	1	6		4	5
5	4		6	2	
3		1	5		

EASY AS PIE

6	5				
			5	1	
	1			5	3
2	3			6	
	2	3			
				2	5

			6	2	4
6			5		
	1				
				4	
		6			3
1	3	4			

Puzzle 29

6		5			
	3	4			
			2	4	
	4	6			
			3	1	
			5		2

Puzzle 30

			5	6	
1		6			4
		5		4	
	4		2		
3			4		6
	6	4			

Answers in b

EASY AS PIE

4			5	4	3
			5	4	
	4				1
6				3	
	1	6			
2					5

	2	1	4	5	
		6			1
2			5		
	5	4	2	3	

Puzzle 33

6			2	5	
			3		
			1		5
5		1			
		2			
	5	3			6

Puzzle 34

					5
			4	6	
5		6	2		
		2	6		1
	6	4			
1					

Answers in b

Puzzle 35

	5				
	1			6	4
4			3		
		3			6
2	4			5	
				4	

Puzzle 36

6		4			3
5	3				
				2	
	5				
				1	5
1			2		6

Puzzle 37

				3	
		2		5	
		5			
			2		
	6		1		
	4				

Puzzle 38

6				1	
				2	
					5
4					
	3				
	5				4

Answers in ba

		6			
	2				1
					2
1					
3				6	
			5		

		6			4
					3
			6		
		4			
2					
5			1		

MIDDLE OF THE ROAD

Puzzle 41

	5				
	2				
3					5
4					3
				1	
				4	

Puzzle 42

				5	
		4		2	
		2			
			1		
	5		3		
	1				

Answers in ba

MIDDLE OF THE ROAD

Puzzle 43

	6				
	2				3
4					
					5
5				4	
				1	

Puzzle 44

		1			
	5				6
2					
					1
3				5	
			2		

Puzzle 45

				1	
		3		6	
			3		
		6			
	2		4		
	5				

Puzzle 46

		2			
	4		3		
				2	
	5				
		3		1	
			5		

Answers in ba

MIDDLE OF THE ROAD

Puzzle 47

	1				
2				5	
					1
3					
	5				6
				3	

Puzzle 48

		1		5	
					4
		4			
			3		
3					
	5		6		

Puzzle 49

		6			
	5				2
4					
					3
3				4	
			5		

Puzzle 50

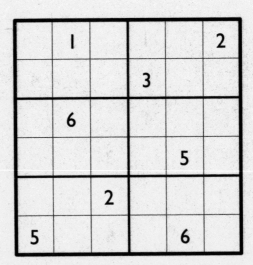

	1				2
			3		
	6				
				5	
		2			
5				6	

Answers in ba

		2			
		3			
1					2
6					1
			5		
			6		

				1	
				6	
6					5
5					3
	4				
	3				

Puzzle 53

5	6				8		1	9
		8				2	3	
7			5	1				
	7	1			2			
	3		9	8	4		7	
			1			3	4	
				4	6			3
	1	6				4		
9	2		3				8	6

Puzzle 54

	6	4			5	1	2	
8	5				4			6
3							9	
	1		9		6	5	4	
			5	4	8			
	4	9	3		2		8	
	2							4
1			4				6	9
	9	7	8			2	5	

Answers in ba

Puzzle 55

1	2			5			3	9
4		5				2		8
						7		
2	5		3	6			9	
	8	1				4	6	
	9			4	1		8	2
		8						
9		2				5		1
5	4			9			2	6

Puzzle 56

			7	1	2	6		
	5	2	4		9		7	
1	7					2	8	
			9	5				2
	8		2		3		5	
2				4	7			
	2	6					1	7
	9		6		5	3	2	
		7	1	2	8			

Puzzle 57

			8				5	
9			7	2	5	8		
		1	6	4				
6		9		7		1	2	3
		7		6		5		
5	2	8		3		7		9
				8	6	4		
		5	4	9	7			1
	7				1			

Puzzle 58

9					8	6		7
	1	6		7			9	
5	4	7			6		8	
	7		3	6				
6		5				2		4
				2	5		7	
	2		6			7	1	5
	6			4		3	2	
3		1	7					8

Answers in ba

	7	3	4				2	
	1			9		7		
9		6	7	8	2			1
		4					3	9
1				2				6
6	3					5		
4			2	6	7	8		3
		9		5			4	
	2				4	6	1	

		1				6	2	9
5							7	8
	3		2		6			5
1		4	7					6
2	8		5		9		3	1
9					1	2		4
4			8		5		6	
3	1							7
6	9	5				8		

Puzzle 61

5		3	2	7		6	1	
	9	2				4		
		7	8	1		2		
	1	4	7					
3				4				8
					2	1	4	
		6		8	1	7		
		9				5	6	
	4	1		9	5	8		2

Puzzle 62

		8		3				2
			6			7	3	
3	7		1					5
	3	2	4				6	9
			7	1	3			
1	8				9	3	7	
5					6		4	3
	9	7			5			
4				2		9		

Answers in ba

EXTREME

Puzzle 63

		9			4			
8			1				3	2
	6	1		7	8	9		
9	3			4			8	
		6	5		1	7		
	7			2			6	4
		8	4	5		1	7	
6	1				7			3
			6			4		

Puzzle 64

				9			6	
			2					1
6			4		8	3	5	7
5	3		1		9		7	2
2	9						8	5
1	6		5		2		4	3
9	5	2	7		3			6
8					6			
	7			2				

Puzzle 65

		1	8	4				5
3					7		4	
7				9	1	2		
5					4		3	9
6		9				1		4
4	3		6					8
		6	9	8				7
	9		1					2
1				3	2	8		

Puzzle 66

	5							
3	9				2	7	4	
7		6	3	1	4	9		
		3		7		8		
	1		9		8		5	
		9		6		1		
		4	5	9	6	2		8
	6	7	8				1	4
						3		

Answers in ba

Puzzle 67

		1	5	4	2			
6		2			3	1		7
				6	1		4	
5	3	7						
		9	2	8	5	4		
						9	1	5
	8		9	5				
9		6	1			5		4
			3	7	6	8		

Puzzle 68

	8	3	5		9			
1	7	9		3				
	2	6	8				4	3
	6	5				1		7
				2				
2		1				6	9	
7	1				2	5	6	
				1		4	3	2
			6		5	7	1	

Puzzle 69

8						6	4	9
			9					
4		6		8	3	7		1
1		8					7	
9		3		1		8		2
	7					1		4
2		1	7	9		3		6
					2			
3	8	4						7

Puzzle 70

9		7	8				2	5
	5		6	9		1		
			3	7			9	8
		4				9	3	2
7	3	1				8		
5	1			2	6			
		3		4	1		7	
4	7				8	2		9

Puzzle 71

			8	6		5		
9	7					6	2	1
			9		1	3	4	8
					5	4	8	9
8	2	5	6					
7	6	1	5		4			
4	8	3					7	5
		2		1	7			

Puzzle 72

	9	2		1	5	6		3
5	6		4	8			1	9
				2			8	
			2				3	
	4		1		8		7	
	7				4			
	2			7				
7	1			9	2		6	8
9		3	5	4		7	2	

Puzzle 73

7						1	3	
		2		4		6	8	9
	9		6				5	
		5		6	9			1
		9	7	5	4	8		
3			8	1		9		
	2				6		4	
8	6	7		9		3		
	4	1						6

Puzzle 74

	5		3	4		8		2
							6	
6				1		4	7	5
1			7	6			9	
			2		5			
	9			3	1			6
5	6	4		2				7
	2							
7		3		5	9		4	

Puzzle 75

			2					
2	7						8	
5	3				9			6
	4	8		5	3		1	
9	1		4		7		3	2
	6		1	9	8	7	5	
1			7				6	5
	8						4	7
			3					

Puzzle 76

2			3	7			6	
6		8	2		9	1		
	3	9		6				
1			8	4		2		
			5		2			
		5		1	6			8
				3		4	8	
		6	4		1	5		9
	9			2	5			3

Puzzle 77

			9				8	2
2						9	1	6
	8		6			3		
1	5	9	8	3	7		6	
			5		9			
	2		4	6	1	8	9	5
		7			6		3	
4	3	6						9
5	1				3			

Puzzle 78

2	4				8		9	6
6	7			9			2	
			2		3	4	5	7
9		7				5	3	
	2	6				9		1
4	6	2	3		9			
	1			8			6	4
7	5		6				1	9

Answers in b

Puzzle 79

7		9		8		5		
5	4		6			3		9
		6					2	
6			7				9	2
	9	1	4		6	7	5	
2	3				5			8
	6					2		
9		5			3		8	1
		2		1		9		6

Puzzle 80

4		3		2			5	6
	6	2				9		
7				5		4	2	
		6	5	9				
9	3	4				6	1	5
				3	4	8		
	7	1		6				9
		8				2	6	
6	9			8		3		1

Puzzle 81

		5		9			2	6
		9				8	1	
1			3					7
9				3		7	8	
3		8	4	1	2	5		9
	2	6		8				3
6					9			1
	1	3				6		
8	9			6		2		

Puzzle 82

8					2			
		2		9		4		1
1	3	6		5				9
		7		3	1			
	4		8		7		9	
			9	4		2		
5				7		6	4	2
4		9		6		5		
			5					3

6						9		4
		4		2			5	
	2		4	6	5	8		3
			1	9			3	2
2		1				7		6
4	3			8	7			
1		5	6	4	2		7	
	4			5		1		
9		7						5

	2	1	5		9	6		3
4	5			7	6			
	9			4		7	5	2
1	4	2						
						4	6	1
6	1	9		2			8	
			1	3			9	6
5			8	6		7	1	2

Puzzle 85

2	3		1	8	9			
	6							5
			6		5			
	7	2			3	9		1
	4		8		2		5	
3		1	9			2	4	
			5		4			
7							9	
			7	9	8		3	4

Puzzle 86

		5	7					
6	3	1			2			
2	7			1			5	9
5	4		8					
7			6		9			5
					3		1	7
9	5			8			3	1
			1			2	7	8
					7	5		

TWISTED

					1			
	4	1		6				2
9						1		8
	1			9	2		7	6
		9				2		
8	7		5	4			9	
7		4						3
3				2		4	8	
			9					

				8	2		9	
6			5		3			7
2	3			4		6		
	5				6	4		
		3				7		
		6	9				3	
		7		9			6	1
1			8		5			3
	6		3	7				

Puzzle 89

		6				7	2	9
	2		1	7			4	
	3				6			
2			5			9	1	
	4			1			6	
	5	1			9			8
			9				5	
	9			3	8		7	
8	6	2				3		

Puzzle 90

4					9		3	2
		6			3			1
					7	5	8	
	8	4						
1	9			7			2	6
						8	9	
	4	1	7					
8			9			4		
5	3		1					8

Puzzle 91

		3		9		2		8
7		8					6	
	2	5			8			
	6		9	4				3
				3				
3				2	6		9	
			3			5	7	
	3					4		2
4		1		7		8		

Puzzle 92

					7	8	4	
6		2			3			
		7	4					2
2					6	5		8
5	7						6	3
1		6	3					4
4					5	9		
			8			4		1
	9	8	1					

Puzzle 93

2			7					8
	9					1	3	
	4		9	1		6		7
			4					3
5			6	8	9			1
4					1			
3		5		7	4		1	
	8	4					2	
6					5			4

Puzzle 94

		1		5	3	4		
	7						6	1
			1	2				9
			3	9		6		
2		9		4		3		5
		7		1	6			
3				6	4			
7	9						4	
		4	2	7		9		

Answers in ba

TWISTED

Puzzle 95

3	1	7			6			
	6							
9			3			1	6	4
		1		3	9	2		
	7		1		5		9	
		9	6	4		7		
1	8	2			7			5
							7	
			5			9	8	1

Puzzle 96

				4		5		
6	8		5					3
9			7			8		4
8				7				5
		7	2	3	4	6		
3				1				7
4		6			1			8
1					9		3	2
		8		5				

Puzzle 97

4					5			3
	8			9				
	1			4	8	5		
1		6	9	2		4		
			5	8	4			
		4		3	1	7		9
		7	4	5			3	
				1			9	
5			8					4

Puzzle 98

				7	1	4		
					4		7	5
		4		5			3	
1				4	3	6	9	
		8				2		
	5	6	2	1				3
	3			2		9		
8	2		6					
		5	4	8				

Answers in b

Puzzle 99

5			7			2		
1				5		4		
	6	8			3		7	5
					6			
3		7		9		5		6
			3					
6	2		1			7	4	
		4		7				2
		1			2			9

Puzzle 100

	4							1
7		1	9	4	5			
	6	3		1				9
						2		
3	2			5			8	4
		7						
2				7		6	1	
			8	6	2	7		3
8							9	

TWISTED

Puzzle 101

3				2				7
6	1				7			
4				9			6	
		2	8			6		4
			6	4	3			
8		4			2	5		
	5			3				6
			1				9	8
9				6				5

Puzzle 102

		2		9		4		5
5			1	7		3	9	6
		3					7	
			4				3	
		5		1		6		
	6				8			
	7					5		
1	5	8		6	7			3
3		9		8		2		

Answers in ba

Puzzle 103

3		8			1			6
			8					
	9	5			3	4		
5	7					2	8	
9								7
	8	3					6	9
		1	9			3	5	
					7			
8			3			6		2

Puzzle 104

		1	2		6		9	
		2			5			3
4		7				5	2	1
	1			2		3		
2								6
		3		8			5	
8	2	9				1		7
5			1			6		
	3		7		2	9		

Puzzle 105

4	6				1	7		8
			8					
	8	9					1	
	9	1		4			6	
		6		9		1		
	5			6		4	8	
	7					5	3	
					4			
2		4	7				9	6

Puzzle 106

					9		7	
		8					4	5
			8	7	2		3	
	1	3		2				9
	2	7		9		5	1	
9				6		3	8	
	8		9	1	3			
7	9					4		
	6		2					

Answers in ba

TWISTED

		8						9
5	6				4			
4			1	2				
		2		1	8	3	7	
7	3			4			8	1
	8	4	9	3		2		
				8	6			5
			4				3	8
8						4		

		7	2					
9		6			1			4
3			8		9	1		5
	6	3	5					
	4			1			2	
				8	6	5		
2		8	4		6			7
6			1			8		9
					5	3		

TWISTED

Puzzle 109

				2	8			
	4	7			9			
	3						8	9
3			8				4	1
4	1			6			9	3
5	6				3			7
1	8						3	
			7			4	5	
			3	5				

Puzzle 110

		7					2	8
			7		2			
2		1	9	3			7	6
			4				3	1
	7			2			8	
1	9				8			
9	3			1	6	8		7
			8		3			
6	1					5		

60

Answers in ba

Puzzle 111

	8			4	5	3	9	
		1		6			4	5
			1	8				
8					7			4
9				3				8
1			8					7
				2	9			
2	9			7		5		
	4	8	3	1			2	

Puzzle 112

5					1			9
4			3	7		2		6
			9			3	1	
8				3	6		9	
	9						6	
	6		2	8				4
	5	6			3			
9		1		5	8			3
3			7					1

Puzzle 113

6					4	3		7
3	5			7	9			
7		1			6			
2						1	5	9
		8				2		
1	6	4						3
			6			9		1
			7	8			4	2
4		3	9					8

Puzzle 114

	1		6				5	
	3	7	2			9		
		5				4		2
			4	6				1
5		6		1		2		7
1				5	7			
8		1				3		
		4			1	7	9	
	9				8		6	

Answers in ba

TWISTED

	8		2		6			
6					5	9		2
				4			7	1
		9	8				2	3
		4		2		1		
2	1				9	8		
3	9			6				
4		6	5					8
			4		2		9	

			2		4			
4	6						2	
	9			3	6			7
8						3	4	
2			4		5			1
	4	9						2
5			8	7			6	
	2						1	4
			1		9			

Puzzle 117

					4			
	9			8				2
2		6	9	1				
	7	9				6		
	3		8		2		7	
		4				9	3	
				2	7	3		5
3				6			9	
			5					

Puzzle 118

7		4		5			6	9
8			2		1	5		
		5		8				
	8		7	1	6		4	
				2		8		
		9	8		5			1
1	4			9		2		8

Answers in ba

DEVIOUS

1	6		4			7		
		7					6	
				9	7	4		2
			7		9			
	3			5			7	
			1		2			
3		6	9	4				
	5					3		
		4			6		5	1

				1		2		
	9				3		8	
3		1			9			4
	4		9					2
		5		8		7		
7					2		4	
4			3			8		5
	3		7				1	
		8		2				

DEVIOUS

Puzzle 121

8		2			7			
			2		1			
	4		3					9
	7				5		4	6
		6		7		9		
3	5		1				2	
9					2		1	
			7		4			
			6			8		3

Puzzle 122

			2	7		6		
					5	1		7
				4		3		2
6	2		1					
9				3				5
					8		7	6
3		2		1				
5		8	7					
		1		9	3			

Answers in ba

DEVIOUS

			2				9	
			7	8				4
	3			1	9	7		
1			8					7
		4		5		1		
3					1			9
		2	1	6			7	
9				7	5			
	5				8			

5			7			2		6
			1			9		
3				4			7	8
	5			8	4			
		6				5		
			5	1			8	
1	2			3				9
		5			9			
6		8			1			3

Puzzle 125

Puzzle 126

DEVIOUS

	1	2	3			8	9	
				8	7		5	1
	4							
							8	4
		5				7		
4	2							
							1	
3	8		5	2				
	5	7			9	3	6	

		9	3		2			7
	5		9	4		1		
							6	9
	2				8			1
				7				
5			2				7	
8	3							
		4		1	9		3	
9			4		6	2		

Puzzle 129

			1	8				
4						8		
	8		6		3	2		
	4		8		1	5	2	
1								9
	2	3	7		5		1	
		9	5		4		3	
		6						4
				1	6			

Puzzle 130

							4	
				1	5	9		
7		5					3	6
5					2		1	4
	3		5		1		7	
4	8		9					3
6	5					4		1
		4	8	3				
	7							

Answers in b

DEVIOUS

	1	7	3				9	6
		8	9					
4					2		5	
	4						8	
9				4				5
	5						4	
	3		1					8
					3	9		
8	2				5	6	3	

			4	9	5			8
				7				6
	2				3		4	
7				8			6	
		4	5		1	2		
	6			4				9
	1		9				7	
9				5				
5			7	3	4			

DEVIOUS

Puzzle 133

		1	4		7	3		
7				6				2
5	8			2		7		
			3				9	
		7				5		
	9				4			
		5		4			7	3
2				7				9
		9	5		8	2		

Puzzle 134

4					6	5		
	6		3					
1	9	3		2				
8		7	9					
5				6				2
					2	3		8
				1		8	9	4
					4		3	
		8	6					1

72

DEVIOUS

Puzzle 135

6		1				5		
	4			2				8
	7			9	5			
	9	7	2			1		
		4				8		
		2			8	3	4	
			1	5			8	
9				6			3	
		6				9		1

Puzzle 136

			3			2	6	
								9
		8			2	1	7	
		1		8	7			4
3			4		5			1
2			9	3		5		
	5	3	1			7		
1								
	6	4			3			

DIABOLICAL

Puzzle 137

7					6		2	3
				2	8	6		
9								
	7			1				
3			4		2			9
				9			3	
								6
		8	7	6				
4	9		2					1

Puzzle 138

	4	9				5	6	
					5	3		
		7						
	9		2					1
	8	2		9		4	5	
7					1		3	
						8		
		5	3					
	6	1				7	2	

Answers in ba

Puzzle 139

	4					7		
		9	6				4	1
1					7			8
4	7				3			
		8				9		
			8				5	7
9			1					6
5	6				2	4		
		7					1	

Puzzle 140

				5				
						5		3
		2	6	4	7		1	
	5					1		
3		9	1		5	8		6
		8					3	
	2		4	1	9	3		
7		1						
				2				

Puzzle 141

	9							
				7	3	1		4
	4				8		6	
3	2					8		
		4	2		5	6		
		6					1	7
	3		1				9	
8		5	3	9				
							7	

Puzzle 142

			6	2	4	8	1	
		1				3	7	
3	7				8	6		
				7				
		5	4				2	7
	1	3				2		
	8	4	5	1	9			

Puzzle 143

3	1			9				4
	6				4			3
		2	5			8		
	5			6				
			4		7			
				8			3	
		7			2	5		
1			3				7	
8				7			2	1

Puzzle 144

				5			8	
6	8							9
		1	9		7		6	
	3			1		9		
9								5
		2	6				7	
	7		2		5	8		
2							5	4
	9			3				

Puzzle 145

9			7	6	1		4	
7				9	4	6		
8	6					5	7	
	2	4					3	6
		3	5	8				2
	4		3	1	7			9

Puzzle 146

		1				7	4	3
		9		2	7			
			5	1				
			6		1	3		
	9							1
		4	2		8			
				7	9			
			8	3		5		
2	8	3				9		

Puzzle 147

	6		3			2		
								3
3	2	8		5				1
		6	5		9			
	1						8	
			6		7	4		
1				2		9	7	6
2								
		9			3		5	

Puzzle 148

7			2			5		
1					6			
				9	3			6
6						1	9	
	4	8				7	2	
	1	2						4
8			4	5				
			3					1
		6			2			9

Puzzle 149

	7	5					3	
	1				9			7
				7		6		5
		6	8					
3			4		5			1
					3	4		
8		4		9				
9			7				2	
	2					1	8	

Puzzle 150

		1		7	5		6	
							2	1
	6							3
2	3				4			
6				9				7
			8				3	9
5							4	
1	9							
	4		6	2		3		

Answers in N

Puzzle 151

	8					6		
6				4	8		5	3
		9			6			
				3		4		
	5		1		9		3	
		1		2				
			3			2		
9	1		4	7				6
		7					9	

Puzzle 152

		2				1	4	
	5			4				
8			1		2			
		6		7			5	
		3		9		8		
	2			3		6		
			4		5			7
				2			1	
	6	7				9		

Puzzle 153

7								
		8		9		1	4	
	9		1			5		
			6				5	8
			4	1	2			
6	7				5			
		1			9		8	
	6	3		7		2		
								5

Puzzle 154

				6		5	4	9
					5			
		5	1					8
	1						7	4
	7		4		9		2	
2	5						8	
3					1	2		
			2					
6	2	7		8				

Puzzle 155

8				6		4		
	4		2					
	7				3		8	
		6		4	7	2		
				2				
		2	6	5		8		
	3		5				1	
					2		5	
		5		1				9

Puzzle 156

			5					
	8	1			7	5		
			8	1			4	
							8	7
1			7		2			6
9	5							
	2			4	8			
		9	3			8	1	
				2				

ANSWERS

4	2	3	1
3	1	2	4
1	3	4	2
2	4	1	3

PUZZLE 1

3	2	1	4
1	4	3	2
2	3	4	1
4	1	2	3

PUZZLE 2

1	4	3	2
2	3	4	1
4	1	2	3
3	2	1	4

PUZZLE 3

2	3	4	1
4	1	3	2
1	4	2	3
3	2	1	4

PUZZLE 4

1	4	2	3
3	2	4	1
4	3	1	2
2	1	3	4

PUZZLE 5

3	4	2	1
2	1	4	3
4	3	1	2
1	2	3	4

PUZZLE 6

3	4	2	1
2	1	3	4
4	2	1	3
1	3	4	2

PUZZLE 7

4	3	1	2
2	1	4	3
1	2	3	4
3	4	2	1

PUZZLE 8

2	3	1	4
1	4	2	3
3	1	4	2
4	2	3	1

PUZZLE 9

1	2	3	4
3	4	2	1
4	3	1	2
2	1	4	3

PUZZLE 10

1	2	3	4
3	4	1	2
2	3	4	1
4	1	2	3

PUZZLE 11

1	3	4	2
2	4	3	1
4	2	1	3
3	1	2	4

PUZZLE 12

1	4	3
4	1	2
2	3	1
3	2	4

PUZZLE 13

2	3	1	4
4	1	3	2
1	2	4	3
3	4	2	1

PUZZLE 14

4	3	1	2
2	1	4	3
1	2	3	4
3	4	2	1

PUZZLE 15

4	2	3
2	4	1
1	3	2
3	1	4

PUZZLE 16

3	4	2	1
2	1	3	4
4	2	1	3
1	3	4	2

PUZZLE 17

3	2	4	1
1	4	2	3
2	1	3	4
4	3	1	2

PUZZLE 18

4	1	3
3	2	4
1	3	2
2	4	1

PUZZLE 19

4	3	2	1
2	1	4	3
1	4	3	2
3	2	1	4

PUZZLE 20

6	2	1	5	4	3
3	4	5	2	1	6
5	1	3	4	6	2
2	6	4	3	5	1
4	3	6	1	2	5
1	5	2	6	3	4

PUZZLE 21

1	2	6	3	5	
6	5	2	1	4	
4	3	1	2	6	
2	6	5	4	3	
3	1	4	5	2	
5	4	3	6	1	

PUZZLE 22

4	2	6	1	3	5
5	3	1	6	2	4
1	4	2	3	5	6
6	5	3	2	4	1
3	1	4	5	6	2
2	6	5	4	1	3

PUZZLE 23

4	5	2	1	3	6
3	1	6	2	4	5
1	6	3	5	2	4
2	4	5	3	6	1
5	3	4	6	1	2
6	2	1	4	5	3

PUZZLE 24

ANSWERS

PUZZLE 25

2	6	5	3	4	1
4	1	3	6	2	5
1	3	4	5	6	2
6	5	2	1	3	4
5	4	6	2	1	3
3	2	1	4	5	6

PUZZLE 26

1	3	2	4	5	6
4	6	5	1	3	2
2	1	6	3	4	5
5	4	3	6	2	1
3	2	1	5	6	4
6	5	4	2	1	3

PUZZLE 27

6	5	1	4	3
3	4	2	5	1
4	1	6	2	5
2	3	5	1	6
5	2	3	6	4
1	6	4	3	2

PUZZLE 28

3	5	1	6	2	4
6	4	2	5	3	1
4	1	5	3	6	2
2	6	3	1	4	5
5	2	6	4	1	3
1	3	4	2	5	6

PUZZLE 29

6	2	5	4	3	1
1	3	4	6	2	5
3	5	1	2	4	6
2	4	6	1	5	3
5	6	2	3	1	4
4	1	3	5	6	2

PUZZLE 30

4	3	2	5	6
1	5	6	3	2
2	1	5	6	4
6	4	3	2	1
3	2	1	4	5
5	6	4	1	3

PUZZLE 31

4	6	5	2	1	3
1	2	3	5	4	6
3	4	2	6	5	1
6	5	1	4	3	2
5	1	6	3	2	4
2	3	4	1	6	5

PUZZLE 32

4	3	5	6	1	2
6	2	1	4	5	3
5	4	6	3	2	1
2	1	3	5	6	4
1	5	4	2	3	6
3	6	2	1	4	5

PUZZLE 33

6	3	4	2	5
2	1	5	3	6
3	2	6	1	4
5	4	1	6	3
4	6	2	5	1
1	5	3	4	2

PUZZLE 34

6	4	3	1	2	5
2	5	1	4	6	3
5	1	6	2	3	4
4	3	2	6	5	1
3	6	4	5	1	2
1	2	5	3	4	6

PUZZLE 35

6	5	4	2	3	1
3	1	2	5	6	4
4	6	1	3	2	5
5	2	3	4	1	6
2	4	6	1	5	3
1	3	5	6	4	2

PUZZLE 36

6	2	4	1	5
5	3	1	6	4
3	1	6	5	2
4	5	2	3	6
2	6	3	4	1
1	4	5	2	3

5	4	6	3	2
3	2	4	5	1
2	5	3	1	6
1	6	2	4	5
6	3	1	2	4
4	1	5	6	3

PUZZLE 37

6	4	2	5	1	3
5	1	3	4	2	6
3	6	1	2	4	5
4	2	5	3	6	1
1	3	4	6	5	2
2	5	6	1	3	4

PUZZLE 38

4	1	6	3	2	5
5	2	3	6	4	1
6	4	5	1	3	2
1	3	2	4	5	6
3	5	1	2	6	4
2	6	4	5	1	3

PUZZLE 39

5	6	2	1	4
1	2	5	6	3
3	5	6	4	2
2	4	3	5	1
6	1	4	3	5
4	3	1	2	6

PUZZLE 40

6	5	4	2	3	1
1	2	3	6	5	4
3	1	2	4	6	5
4	6	5	1	2	3
5	4	6	3	1	2
2	3	1	5	4	6

PUZZLE 41

6	2	1	4	5	3
5	3	4	6	2	1
1	4	2	5	3	6
3	6	5	1	4	2
2	5	6	3	1	4
4	1	3	2	6	5

PUZZLE 42

6	5	1	2	4
2	4	6	5	3
5	6	2	3	1
3	1	4	6	5
1	2	3	4	6
4	3	5	1	2

PUZZLE 43

6	3	1	5	4	2
4	5	2	3	1	6
2	1	4	6	3	5
5	6	3	4	2	1
3	2	6	1	5	4
1	4	5	2	6	3

PUZZLE 44

4	6	5	2	1	3
2	1	3	5	6	4
1	4	2	3	5	6
5	3	6	1	4	2
6	2	1	4	3	5
3	5	4	6	2	1

PUZZLE 45

3	2	4	5	1
4	5	3	6	2
1	4	6	2	5
5	6	1	4	3
6	3	2	1	4
2	1	5	3	6

PUZZLE 46

5	1	4	6	2	3
2	3	6	1	5	4
6	2	5	3	4	1
3	4	1	5	6	2
4	5	3	2	1	6
1	6	2	4	3	5

PUZZLE 47

6	4	1	2	5	3
5	2	3	1	6	4
2	3	4	5	1	6
1	6	5	3	4	2
3	1	6	4	2	5
4	5	2	6	3	1

PUZZLE 48

ANSWERS

PUZZLE 49

2	3	6	1	5	4
1	5	4	3	6	2
4	2	3	6	1	5
5	6	1	4	2	3
3	1	5	2	4	6
6	4	2	5	3	1

PUZZLE 50

3	1	6	5	4	2
2	5	4	3	1	6
1	6	5	4	2	3
4	2	3	6	5	1
6	4	2	1	3	5
5	3	1	2	6	4

PUZZLE 51

4	6	2	1	3
5	1	3	2	4
1	3	5	4	6
6	2	4	3	5
2	4	6	5	1
3	5	1	6	2

PUZZLE 52

3	6	2	5	1	4
4	5	1	3	6	2
6	2	3	1	4	5
5	1	4	6	2	3
1	4	5	2	3	6
2	3	6	4	5	1

PUZZLE 53

5	6	3	4	2	8	7	1	9
1	4	8	7	6	9	2	3	5
7	9	2	5	1	3	8	6	4
4	7	1	6	3	2	9	5	8
2	3	5	9	8	4	6	7	1
6	8	9	1	5	7	3	4	2
8	5	7	2	4	6	1	9	3
3	1	6	8	9	5	4	2	7
9	2	4	3	7	1	5	8	6

PUZZLE 54

9	6	4	7	3	5	1	2
8	5	1	2	9	4	7	3
3	7	2	6	8	1	4	9
2	1	8	9	7	6	5	4
7	3	6	5	4	8	9	1
5	4	9	3	1	2	6	8
6	2	3	1	5	9	8	7
1	8	5	4	2	7	3	6
4	9	7	8	6	3	2	5

PUZZLE 55

1	2	7	8	5	4	6	3	9
4	6	5	7	3	9	2	1	8
8	3	9	2	1	6	7	5	4
2	5	4	3	6	8	1	9	7
3	8	1	9	7	2	4	6	5
7	9	6	5	4	1	3	8	2
6	1	8	4	2	5	9	7	3
9	7	2	6	8	3	5	4	1
5	4	3	1	9	7	8	2	6

PUZZLE 56

3	4	8	7	1	2	6	9	5
6	5	2	4	8	9	1	7	3
1	7	9	5	3	6	2	8	4
7	6	3	9	5	1	8	4	2
9	8	4	2	6	3	7	5	1
2	1	5	8	4	7	9	3	6
8	2	6	3	9	4	5	1	7
4	9	1	6	7	5	3	2	8
5	3	7	1	2	8	4	6	9

PUZZLE 57

7	6	2	8	1	9	3	5
9	3	4	7	2	5	8	1
8	5	1	6	4	3	2	9
6	4	9	5	7	8	1	2
3	1	7	9	6	2	5	4
5	2	8	1	3	4	7	6
1	9	3	2	8	6	4	7
2	8	5	4	9	7	6	3
4	7	6	3	5	1	9	8

PUZZLE 58

9	3	2	1	5	8	6	4	7
8	1	6	2	7	4	5	9	3
5	4	7	9	3	6	1	8	2
2	7	4	3	6	9	8	5	1
6	9	5	8	1	7	2	3	4
1	8	3	4	2	5	9	7	6
4	2	9	6	8	3	7	1	5
7	6	8	5	4	1	3	2	9
3	5	1	7	9	2	4	6	8

PUZZLE 59

5	7	3	4	1	6	9	2	8
8	1	2	5	9	3	7	6	4
9	4	6	7	8	2	3	5	1
2	8	4	6	7	5	1	3	9
1	9	5	3	2	8	4	7	6
6	3	7	1	4	9	5	8	2
4	5	1	2	6	7	8	9	3
3	6	9	8	5	1	2	4	7
7	2	8	9	3	4	6	1	5

PUZZLE 60

7	4	1	3	5	8	6	2
5	6	2	9	1	4	3	7
8	3	9	2	7	6	4	1
1	5	4	7	2	3	9	8
2	8	6	5	4	9	7	3
9	7	3	6	8	1	2	5
4	2	7	8	5	9	1	6
3	1	8	4	6	2	5	9
6	9	5	1	3	7	8	4

PUZZLE 61

8	3	2	7	4	6	1	9
9	2	5	6	3	4	8	7
6	7	8	1	9	2	5	3
1	4	7	5	8	3	2	6
2	5	1	4	6	9	7	8
7	8	9	3	2	1	4	5
5	6	3	8	1	7	9	4
3	9	4	2	7	5	6	1
4	1	6	9	5	8	3	2

PUZZLE 62

6	1	8	5	3	7	4	9	2
2	5	9	6	8	4	7	3	1
3	7	4	1	9	2	6	8	5
7	3	2	4	5	8	1	6	9
9	4	6	7	1	3	5	2	8
1	8	5	2	6	9	3	7	4
5	2	1	9	7	6	8	4	3
8	9	7	3	4	5	2	1	6
4	6	3	8	2	1	9	5	7

PUZZLE 63

5	2	9	3	6	4	8	1	7
8	4	7	1	9	5	6	3	2
3	6	1	2	7	8	9	4	5
9	3	2	7	4	6	5	8	1
4	8	6	5	3	1	7	2	9
1	7	5	8	2	9	3	6	4
2	9	8	4	5	3	1	7	6
6	1	4	9	8	7	2	5	3
7	5	3	6	1	2	4	9	8

PUZZLE 64

4	1	3	9	5	2	6	8
8	5	2	6	7	4	9	1
2	9	4	1	8	3	5	7
3	4	1	8	9	6	7	2
9	7	6	3	4	1	8	5
6	8	5	7	2	9	4	3
5	2	7	4	3	8	1	6
1	3	9	5	6	7	2	4
7	6	8	2	1	5	3	9

PUZZLE 65

9	2	1	8	4	3	7	6	5
3	8	5	2	6	7	9	4	1
7	6	4	5	9	1	2	8	3
5	1	8	7	2	4	6	3	9
6	7	9	3	5	8	1	2	4
4	3	2	6	1	9	5	7	8
2	4	6	9	8	5	3	1	7
8	9	3	1	7	6	4	5	2
1	5	7	4	3	2	8	9	6

PUZZLE 66

4	5	1	7	8	9	3	6	2
3	9	8	6	5	2	7	4	1
7	2	6	3	1	4	9	8	5
5	4	3	2	7	1	8	9	6
6	1	2	9	3	8	4	5	7
8	7	9	4	6	5	1	2	3
1	3	4	5	9	6	2	7	8
9	6	7	8	2	3	5	1	4
2	8	5	1	4	7	6	3	9

PUZZLE 67

9	1	5	4	2	3	8	6
4	2	8	9	3	1	5	7
5	8	7	6	1	2	4	9
3	7	4	1	9	6	2	8
6	9	2	8	5	4	7	3
2	4	6	3	7	9	1	5
8	3	9	5	4	7	6	1
7	6	1	2	8	5	3	4
1	5	3	7	6	8	9	2

PUZZLE 68

4	8	3	5	6	9	2	7	1
1	7	9	2	3	4	8	5	6
5	2	6	8	7	1	9	4	3
8	6	5	4	9	3	1	2	7
9	4	7	1	2	6	3	8	5
2	3	1	7	5	8	6	9	4
7	1	4	3	8	2	5	6	9
6	5	8	9	1	7	4	3	2
3	9	2	6	4	5	7	1	8

PUZZLE 69

8	3	2	1	7	5	6	4	9
5	1	7	9	4	6	2	3	8
4	9	6	2	8	3	7	5	1
1	2	8	4	6	9	5	7	3
9	4	3	5	1	7	8	6	2
6	7	5	3	2	8	1	9	4
2	5	1	7	9	4	3	8	6
7	6	9	8	3	2	4	1	5
3	8	4	6	5	1	9	2	7

PUZZLE 70

6	7	8	1	4	3	2	5
5	8	6	9	2	1	4	7
4	2	3	7	5	6	9	8
8	4	1	5	7	9	3	2
9	5	4	8	3	7	6	1
3	1	2	6	9	8	5	4
1	9	7	2	6	4	8	3
2	3	9	4	1	5	7	6
7	6	5	3	8	2	1	9

PUZZLE 71

3	1	4	8	6	2	5	9	7
9	7	8	4	5	3	6	2	1
2	5	6	9	7	1	3	4	8
6	3	7	1	2	5	4	8	9
1	4	9	7	3	8	2	5	6
8	2	5	6	4	9	7	1	3
7	6	1	5	8	4	9	3	2
4	8	3	2	9	6	1	7	5
5	9	2	3	1	7	8	6	4

PUZZLE 72

8	9	2	7	1	5	6	4	3
5	6	7	4	8	3	2	1	9
4	3	1	6	2	9	5	8	7
1	5	9	2	6	7	8	3	4
3	4	6	1	5	8	9	7	2
2	7	8	9	3	4	1	5	6
6	2	4	8	7	1	3	9	5
7	1	5	3	9	2	4	6	8
9	8	3	5	4	6	7	2	1

ANSWERS

```
PUZZLE 73
7 5 6 9 2 8 1 3 4
1 3 2 5 4 7 6 8 9
4 9 8 6 3 1 2 5 7
2 8 5 3 6 9 4 7 1
6 1 9 7 5 4 8 2 3
3 7 4 8 1 2 9 6 5
9 2 3 1 7 6 5 4 8
8 6 7 4 9 5 3 1 2
5 4 1 2 8 3 7 9 6
```

```
PUZZLE 74
9 5 7 3 4 6 8 1 2
2 4 1 5 8 7 3 6 9
6 3 8 9 1 2 4 7 5
1 8 2 7 6 4 5 9 3
3 7 6 2 9 5 1 8 4
4 9 5 8 3 1 7 2 6
5 6 4 1 2 8 9 3 7
8 2 9 4 7 3 6 5 1
7 1 3 6 5 9 2 4 8
```

```
PUZZLE 75
8 9 4 3 2 6 5 7
2 7 6 5 4 1 9 8
5 3 1 8 7 9 4 2
7 4 8 2 5 3 6 1
9 1 5 4 6 7 8 3
3 6 2 1 9 8 7 5
1 2 9 7 8 4 3 6
6 8 3 9 1 5 2 4
4 5 7 6 3 2 1 9
```

```
PUZZLE 76
2 5 1 3 7 8 9 6 4
6 4 8 2 5 9 1 3 7
7 3 9 1 6 4 8 5 2
1 6 7 8 4 3 2 9 5
4 8 3 5 9 2 6 7 1
9 2 5 7 1 6 3 4 8
5 1 2 9 3 7 4 8 6
3 7 6 4 8 1 5 2 9
8 9 4 6 2 5 7 1 3
```

```
PUZZLE 77
3 6 1 9 7 5 4 8 2
2 7 5 3 8 4 9 1 6
9 8 4 6 1 2 3 5 7
1 5 9 8 3 7 2 6 4
6 4 8 5 2 9 1 7 3
7 2 3 4 6 1 8 9 5
8 9 7 2 4 6 5 3 1
4 3 6 1 5 8 7 2 9
5 1 2 7 9 3 6 4 8
```

```
PUZZLE 78
2 4 3 5 7 8 1 9
6 7 5 4 9 1 8 2
8 9 1 2 6 3 4 5
9 8 7 1 4 6 5 3
1 3 4 9 5 2 6 7
5 2 6 8 3 7 9 4
4 6 2 3 1 9 7 8
3 1 9 7 8 5 2 6
7 5 8 6 2 4 3 1
```

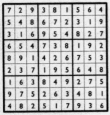

```
PUZZLE 79
7 2 9 3 8 1 5 6 4
5 4 8 6 7 2 3 1 9
3 1 6 9 5 4 8 2 7
6 5 4 7 3 8 1 9 2
8 9 1 4 2 6 7 5 3
2 3 7 1 9 5 6 4 8
1 6 3 8 4 9 2 7 5
9 7 5 2 6 3 4 8 1
4 8 2 5 1 7 9 3 6
```

```
PUZZLE 80
4 8 3 7 2 9 1 5 6
5 6 2 1 4 8 9 7 3
7 1 9 3 5 6 4 2 8
8 2 6 5 9 1 7 3 4
9 3 4 8 7 2 6 1 5
1 5 7 6 3 4 8 9 2
2 7 1 4 6 3 5 8 9
3 4 8 9 1 5 2 6 7
6 9 5 2 8 7 3 4 1
```

```
PUZZLE 81
4 8 5 7 9 1 3 2
7 3 9 2 5 6 8 1
1 6 2 3 4 8 9 5
9 4 1 6 3 5 7 8
3 7 8 4 1 2 5 6
5 2 6 9 8 7 1 4
6 5 7 8 2 9 4 3
2 1 3 5 7 4 6 9
8 9 4 1 6 3 2 7
```

```
PUZZLE 82
8 9 4 7 1 2 3 6 5
7 5 2 3 9 6 4 8 1
1 3 6 4 5 8 7 2 9
9 2 7 6 3 1 8 5 4
3 4 5 8 2 7 1 9 6
6 1 8 9 4 5 2 3 7
5 8 3 1 7 9 6 4 2
4 7 9 2 6 3 5 1 8
2 6 1 5 8 4 9 7 3
```

```
PUZZLE 83
6 5 3 8 7 1 9 2 4
8 1 4 9 2 3 6 5 7
7 2 9 4 6 5 8 1 3
5 7 8 1 9 6 4 3 2
2 9 1 5 3 4 7 8 6
4 3 6 2 8 7 5 9 1
1 8 5 6 4 2 3 7 9
3 4 2 7 5 9 1 6 8
9 6 7 3 1 8 2 4 5
```

```
PUZZLE 84
7 2 1 5 8 9 6 4
4 5 3 2 7 6 8 1
8 9 6 3 4 1 7 5
1 4 2 8 6 3 9 7
9 6 5 7 1 4 2 3
3 8 7 9 5 2 4 6
6 1 9 4 2 5 3 8
2 7 4 1 3 8 5 9
5 3 8 6 9 7 1 2
```

ANSWERS

PUZZLE 85

2	3	5	1	8	9	4	7	6
9	6	8	2	4	7	3	1	5
4	1	7	6	3	5	8	2	9
8	7	2	4	5	3	9	6	1
4	9	8	1	2	7	5	3	
8	5	1	9	7	6	2	4	8
9	3	5	2	4	6	8	7	
8	4	3	6	1	5	9	2	
2	6	7	9	8	1	3	4	

PUZZLE 86

4	9	5	7	6	8	1	2	3
6	3	1	9	5	2	7	8	4
2	7	8	3	1	4	6	5	9
5	4	9	8	7	1	3	6	2
7	1	3	6	2	9	8	4	5
8	2	6	5	4	3	9	1	7
9	5	7	2	8	6	4	3	1
3	6	4	1	9	5	2	7	8
1	8	2	4	3	7	5	9	6

PUZZLE 87

2	8	3	4	7	1	5	6	9
5	4	1	8	6	9	7	3	2
9	6	7	2	5	3	1	4	8
4	1	5	3	9	2	8	7	6
6	3	9	7	1	8	2	5	4
8	7	2	5	4	6	3	9	1
7	2	4	6	8	5	9	1	3
3	9	6	1	2	7	4	8	5
1	5	8	9	3	4	6	2	7

PUZZLE 88

7	1	6	8	2	3	9	5	
9	8	5	1	3	2	4	7	
3	5	7	4	9	6	1	8	
5	2	1	3	6	4	8	9	
1	3	4	2	8	7	5	6	
4	6	9	5	7	1	3	2	
8	7	2	9	4	5	6	1	
2	4	8	6	5	9	7	3	
6	9	3	7	1	8	2	4	

PUZZLE 89

5	1	6	3	8	4	7	2	9
9	2	8	1	7	5	6	4	3
7	3	4	2	9	6	1	8	5
2	8	7	5	6	3	9	1	4
3	4	9	8	1	2	5	6	7
6	5	1	7	4	9	2	3	8
4	7	3	9	2	1	8	5	6
1	9	5	6	3	8	4	7	2
8	6	2	4	5	7	3	9	1

PUZZLE 90

4	7	8	5	1	9	6	3	2
9	5	6	2	8	3	7	4	1
3	1	2	4	6	7	5	8	9
6	8	4	3	9	2	1	5	7
1	9	5	8	7	4	3	2	6
7	2	3	6	5	1	8	9	4
2	4	1	7	3	8	9	6	5
8	6	7	9	2	5	4	1	3
5	3	9	1	4	6	2	7	8

PUZZLE 91

1	3	4	9	7	2	5	8	
4	8	2	5	3	9	6	1	
2	5	1	6	8	3	4	7	
6	2	9	4	5	7	8	3	
5	9	7	3	1	6	2	4	
7	4	8	2	6	1	9	5	
8	6	3	1	4	5	7	9	
3	7	6	8	9	4	1	2	
9	1	5	7	2	8	3	6	

PUZZLE 92

9	1	3	2	6	7	8	4	5
6	4	2	5	8	3	1	7	9
8	5	7	4	9	1	6	3	2
2	3	9	7	4	6	5	1	8
5	7	4	9	1	8	2	6	3
1	8	6	3	5	2	7	9	4
4	2	1	6	3	5	9	8	7
3	6	5	8	7	9	4	2	1
7	9	8	1	2	4	3	5	6

PUZZLE 93

2	5	1	7	6	3	4	9	8
7	9	6	5	4	8	1	3	2
8	4	3	9	1	2	6	5	7
9	1	2	4	5	7	8	6	3
5	3	7	6	8	9	2	4	1
4	6	8	2	3	1	5	7	9
3	2	5	8	7	4	9	1	6
1	8	4	3	9	6	7	2	5
6	7	9	1	2	5	3	8	4

PUZZLE 94

2	1	6	5	3	4	8	7	
7	3	4	8	9	2	6	1	
4	6	1	2	7	5	3	9	
5	8	3	9	2	6	7	4	
6	9	7	4	8	3	1	5	
3	7	5	1	6	8	9	2	
1	5	9	6	4	7	2	8	
9	2	8	3	5	1	4	6	
8	4	2	7	1	9	5	3	

PUZZLE 95

3	1	7	4	5	6	8	2	9
4	6	8	2	9	1	5	3	7
9	2	5	3	7	8	1	6	4
6	4	1	7	3	9	2	5	8
2	7	3	1	8	5	4	9	6
8	5	9	6	4	2	7	1	3
1	8	2	9	6	7	3	4	5
5	9	4	8	1	3	6	7	2
7	3	6	5	2	4	9	8	1

PUZZLE 96

7	2	3	1	4	8	5	9	6
6	8	4	5	9	2	1	7	3
9	5	1	7	6	3	8	2	4
8	4	2	9	7	6	3	1	5
5	1	7	2	3	4	6	8	9
3	6	9	8	1	5	2	4	7
4	9	6	3	2	1	7	5	8
1	7	5	6	8	9	4	3	2
2	3	8	4	5	7	9	6	1

ANSWERS

PUZZLE 97
```
4 6 2 1 7 5 9 8 3
7 8 5 3 9 6 1 4 2
9 1 3 2 4 8 5 6 7
1 3 6 9 2 7 4 5 8
2 7 9 5 8 4 3 1 6
8 5 4 6 3 1 7 2 9
6 2 7 4 5 9 8 3 1
3 4 8 7 1 2 6 9 5
5 9 1 8 6 3 2 7 4
```

PUZZLE 98
```
5 8 3 9 7 1 4 6 2
2 9 1 3 6 4 8 7 5
7 6 4 8 5 2 1 3 9
1 7 2 5 4 3 6 9 8
3 4 8 7 9 6 2 5 1
9 5 6 2 1 8 7 4 3
4 3 7 1 2 5 9 8 6
8 2 9 6 3 7 5 1 4
6 1 5 4 8 9 3 2 7
```

PUZZLE 99
```
5 9 3 7 6 4 2 8 .
1 7 2 9 5 8 4 6 .
4 6 8 2 1 3 9 7 .
2 1 9 5 4 6 8 3 .
3 4 7 8 9 1 5 2 .
8 5 6 3 2 7 1 9 .
6 2 5 1 3 9 7 4 .
9 8 4 6 7 5 3 1 .
7 3 1 4 8 2 6 5 .
```

PUZZLE 100
```
9 4 2 6 8 3 5 7 1
7 8 1 9 4 5 3 2 6
5 6 3 2 1 7 8 4 9
6 5 8 1 9 4 2 3 7
3 2 9 7 5 6 1 8 4
4 1 7 3 2 8 9 6 5
2 3 5 4 7 9 6 1 8
1 9 4 8 6 2 7 5 3
8 7 6 5 3 1 4 9 2
```

PUZZLE 101
```
3 9 8 4 2 6 1 5 7
6 1 5 3 8 7 9 4 2
4 2 7 5 9 1 8 6 3
1 3 2 8 5 9 6 7 4
5 7 9 6 4 3 2 8 1
8 6 4 7 1 2 5 3 9
7 5 1 9 3 8 4 2 6
2 4 6 1 7 5 3 9 8
9 8 3 2 6 4 7 1 5
```

PUZZLE 102
```
7 1 2 6 9 3 4 8 .
5 8 4 1 7 2 3 9 .
6 9 3 8 4 5 1 7 .
9 2 7 4 5 6 8 3 .
8 3 5 7 1 9 6 2 .
4 6 1 3 2 8 7 5 .
2 7 6 9 3 4 5 1 .
1 5 8 2 6 7 9 4 .
3 4 9 5 8 1 2 6 .
```

PUZZLE 103
```
3 4 8 5 9 1 7 2 6
1 2 7 8 4 6 9 3 5
6 9 5 7 2 3 4 1 8
5 7 4 1 6 9 2 8 3
9 1 6 2 3 8 5 4 7
2 8 3 4 7 5 1 6 9
7 6 1 9 8 2 3 5 4
4 3 2 6 5 7 8 9 1
8 5 9 3 1 4 6 7 2
```

PUZZLE 104
```
3 5 1 2 7 6 8 9 4
9 8 2 4 1 5 7 6 3
4 6 7 8 3 9 5 2 1
6 1 5 9 2 4 3 7 8
2 9 8 3 5 7 4 1 6
7 4 3 6 8 1 2 5 9
8 2 9 5 6 3 1 4 7
5 7 4 1 9 8 6 3 2
1 3 6 7 4 2 9 8 5
```

PUZZLE 105
```
4 6 3 9 2 1 7 5 .
1 2 7 8 5 6 9 4 .
5 8 9 4 7 3 6 1 .
8 9 1 5 4 2 3 6 .
7 4 6 3 9 8 1 2 .
3 5 2 1 6 7 4 8 .
6 7 8 2 1 9 5 3 .
9 3 5 6 8 4 2 7 .
2 1 4 7 3 5 8 9 .
```

PUZZLE 106
```
1 3 6 4 5 9 2 7 8
2 7 8 1 3 6 9 4 5
5 4 9 8 7 2 1 3 6
8 1 3 5 2 4 7 6 9
6 2 7 3 9 8 5 1 4
9 5 4 7 6 1 3 8 2
4 8 2 9 1 3 6 5 7
7 9 1 6 8 5 4 2 3
3 6 5 2 4 7 8 9 1
```

PUZZLE 107
```
2 1 8 7 6 3 5 4 9
5 6 3 8 9 4 1 2 7
4 7 9 1 2 5 8 6 3
6 9 2 5 1 8 3 7 4
7 3 5 6 4 2 9 8 1
1 8 4 9 3 7 2 5 6
3 4 1 2 8 6 7 9 5
9 2 7 4 5 1 6 3 8
8 5 6 3 7 9 4 1 2
```

PUZZLE 108
```
1 8 7 2 5 4 9 3 .
9 5 6 3 7 1 2 8 .
3 2 4 8 6 9 1 7 .
8 6 3 5 2 7 4 9 .
5 4 9 6 1 3 7 2 .
7 1 2 9 4 8 6 5 .
2 3 8 4 9 6 5 1 .
6 7 5 1 3 2 8 4 .
4 9 1 7 8 5 3 6 .
```

PUZZLE 109

9	5	1	6	2	8	3	7	4
8	4	7	1	3	9	2	6	5
2	3	6	5	7	4	1	8	9
3	7	2	8	9	5	6	4	1
4	1	8	2	6	7	5	9	3
6	9	4	1	3	8	2	7	
1	8	5	9	4	2	7	3	6
6	9	3	7	8	1	4	5	2
7	2	4	3	5	6	9	1	8

PUZZLE 110

3	5	7	1	6	4	9	2	8
4	6	9	7	8	2	3	1	5
2	8	1	9	3	5	4	7	6
8	2	6	4	5	9	7	3	1
5	7	4	3	2	1	6	8	9
1	9	3	6	7	8	2	5	4
9	3	2	5	1	6	8	4	7
7	4	5	8	9	3	1	6	2
6	1	8	2	4	7	5	9	3

PUZZLE 111

6	8	2	7	4	5	3	9	1
7	3	1	9	6	2	8	4	5
4	5	9	1	8	3	6	7	2
8	6	5	2	9	7	1	3	4
9	7	4	6	3	1	2	5	8
1	2	3	8	5	4	9	6	7
3	1	7	5	2	9	4	8	6
2	9	6	4	7	8	5	1	3
5	4	8	3	1	6	7	2	9

PUZZLE 112

3	2	8	6	1	7	4	9
1	9	3	7	5	2	8	6
8	7	9	2	4	3	1	5
2	4	1	3	6	5	9	7
9	3	5	4	7	8	6	2
6	5	2	8	9	1	3	4
5	6	4	1	3	9	7	8
7	1	6	5	8	4	2	3
4	8	7	9	2	6	5	1

PUZZLE 113

6	8	9	5	1	4	3	2	7
3	5	2	8	7	9	4	1	6
7	4	1	3	2	6	8	9	5
2	3	7	4	6	8	1	5	9
5	9	8	1	3	7	2	6	4
1	6	4	2	9	5	7	8	3
8	7	5	6	4	2	9	3	1
9	1	6	7	8	3	5	4	2
4	2	3	9	5	1	6	7	8

PUZZLE 114

2	1	9	6	7	4	8	5	3
4	3	7	2	8	5	9	1	6
6	8	5	1	3	9	4	7	2
9	7	8	4	6	2	5	3	1
5	4	6	9	1	3	2	8	7
1	2	3	8	5	7	6	4	9
8	5	1	7	9	6	3	2	4
3	6	4	5	2	1	7	9	8
7	9	2	3	4	8	1	6	5

PUZZLE 115

8	1	2	7	6	4	3	5
4	7	1	3	5	9	8	2
3	2	9	4	8	6	7	1
6	9	8	1	4	5	2	3
5	4	3	2	7	1	6	9
1	3	6	5	9	8	4	7
9	8	7	6	1	2	5	4
2	6	5	9	3	7	1	8
7	5	4	8	2	3	9	6

PUZZLE 116

7	8	5	2	1	4	6	3	9
4	6	3	7	9	8	1	2	5
1	9	2	5	3	6	4	8	7
8	5	1	9	2	7	3	4	6
2	3	7	4	6	5	8	9	1
6	4	9	3	8	1	5	7	2
5	1	4	8	7	2	9	6	3
9	2	8	6	5	3	7	1	4
3	7	6	1	4	9	2	5	8

PUZZLE 117

1	5	3	2	7	4	8	6	9
4	9	7	6	8	3	1	5	2
2	8	6	9	1	5	7	4	3
5	7	9	3	4	1	6	2	8
6	3	1	8	9	2	5	7	4
8	2	4	7	5	6	9	3	1
9	6	8	4	2	7	3	1	5
3	4	5	1	6	8	2	9	7
7	1	2	5	3	9	4	8	6

PUZZLE 118

5	1	9	6	4	7	8	2
2	4	3	5	8	1	6	9
9	6	2	7	1	5	3	4
1	5	4	8	3	9	2	7
8	2	7	1	6	3	4	5
3	7	5	2	9	8	1	6
6	9	8	3	5	4	7	1
4	3	6	9	7	2	5	8
7	8	1	4	2	6	9	3

PUZZLE 119

1	6	2	4	8	3	7	9	5
4	9	7	5	2	1	8	6	3
5	8	3	6	9	7	4	1	2
6	4	5	7	3	9	1	2	8
2	3	1	8	5	4	6	7	9
9	7	8	1	6	2	5	3	4
3	1	6	9	4	5	2	8	7
7	5	9	2	1	8	3	4	6
8	2	4	3	7	6	9	5	1

PUZZLE 120

6	5	4	8	1	7	2	3	9
2	9	7	6	4	3	5	8	1
3	8	1	2	5	9	6	7	4
8	4	3	9	7	6	1	5	2
9	2	5	1	8	4	7	6	3
7	1	6	5	3	2	9	4	8
4	7	9	3	6	1	8	2	5
5	3	2	7	9	8	4	1	6
1	6	8	4	2	5	3	9	7

PUZZLE 121

8	6	2	9	4	7	1	3	5
5	9	3	2	6	1	4	8	7
7	4	1	3	5	8	2	6	9
1	7	9	8	2	5	3	4	6
2	8	6	4	7	3	9	5	1
3	5	4	1	9	6	7	2	8
9	3	7	5	8	2	6	1	4
6	1	8	7	3	4	5	9	2
4	2	5	6	1	9	8	7	3

PUZZLE 122

8	3	9	2	7	1	6	5	4
2	4	6	3	8	5	1	9	7
7	1	5	9	4	6	3	8	2
6	2	7	1	5	9	8	4	3
9	8	4	6	3	7	2	1	5
1	5	3	4	2	8	9	7	6
3	7	2	8	1	4	5	6	9
5	9	8	7	6	2	4	3	1
4	6	1	5	9	3	7	2	8

PUZZLE 123

6	7	1	2	3	4	5	9	8
5	2	9	7	8	6	3	1	
4	3	8	5	1	9	7	6	2
1	6	5	8	9	2	4	3	
2	9	4	3	5	7	1	8	
3	8	7	6	4	1	2	5	
8	4	2	1	6	3	9	7	
9	1	6	4	7	5	8	2	
7	5	3	9	2	8	6	4	

PUZZLE 124

5	8	1	7	9	3	2	4	6
4	7	2	1	6	8	9	3	5
3	6	9	2	4	5	1	7	8
2	5	3	9	8	4	6	1	7
8	1	6	3	7	2	5	9	4
9	4	7	5	1	6	3	8	2
1	2	4	6	3	7	8	5	9
7	3	5	8	2	9	4	6	1
6	9	8	4	5	1	7	2	3

PUZZLE 125

5	8	3	2	6	4	1	7	9
1	2	7	5	3	9	4	6	8
9	4	6	7	1	8	3	2	5
7	1	5	9	8	6	2	3	4
2	3	9	1	4	5	6	8	7
8	6	4	3	7	2	9	5	1
3	9	8	4	2	7	5	1	6
6	5	1	8	9	3	7	4	2
4	7	2	6	5	1	8	9	3

PUZZLE 126

7	3	1	4	2	5	6	9	
2	4	9	8	7	6	5	3	
6	5	8	9	1	3	4	2	
5	1	4	3	9	8	7	6	
8	2	6	7	4	1	3	5	
9	7	3	5	6	2	1	8	
4	8	2	6	3	7	9	1	
1	6	7	2	5	9	8	4	
3	9	5	1	8	4	2	7	

PUZZLE 127

7	1	2	3	4	5	8	9	6
9	3	6	2	8	7	4	5	1
5	4	8	6	9	1	2	7	3
1	7	3	9	5	2	6	8	4
8	6	5	1	3	4	7	2	9
4	2	9	7	6	8	1	3	5
6	9	4	8	7	3	5	1	2
3	8	1	5	2	6	9	4	7
2	5	7	4	1	9	3	6	8

PUZZLE 128

1	8	9	3	6	2	4	5	7
6	5	3	9	4	7	1	8	2
7	4	2	5	8	1	3	6	9
3	2	7	6	5	8	9	4	1
4	9	8	1	7	3	5	2	6
5	1	6	2	9	4	8	7	3
8	3	1	7	2	5	6	9	4
2	6	4	8	1	9	7	3	5
9	7	5	4	3	6	2	1	8

PUZZLE 129

3	6	2	1	8	9	7	4	
4	9	1	2	5	7	8	6	
7	8	5	6	4	3	2	9	
9	4	7	8	3	1	5	2	
1	5	8	4	6	2	3	7	
6	2	3	7	9	5	4	1	
8	1	9	5	2	4	6	3	
2	3	6	9	7	8	1	5	
5	7	4	3	1	6	9	8	

PUZZLE 130

9	1	2	6	7	3	5	4	8
3	6	8	4	1	5	9	2	7
7	4	5	2	9	8	1	3	6
5	9	7	3	8	2	6	1	4
2	3	6	5	4	1	8	7	9
4	8	1	9	6	7	2	5	3
6	5	3	7	2	9	4	8	1
1	2	4	8	3	6	7	9	5
8	7	9	1	5	4	3	6	2

PUZZLE 131

5	1	7	3	8	4	2	9	6
2	6	8	9	5	7	4	1	3
4	9	3	6	1	2	8	5	7
3	4	1	5	9	6	7	8	2
9	8	2	7	4	1	3	6	5
7	5	6	2	3	8	1	4	9
6	3	4	1	2	9	5	7	8
1	7	5	8	6	3	9	2	4
8	2	9	4	7	5	6	3	1

PUZZLE 132

1	7	6	4	9	5	3	2	
4	3	5	8	7	2	9	1	
8	2	9	6	1	3	7	4	
7	5	1	2	8	9	4	6	
3	9	4	5	6	1	2	8	
2	6	8	3	4	7	1	5	
6	1	3	9	2	8	5	7	
9	4	7	1	5	6	8	3	
5	8	2	7	3	4	6	9	